【健身气功新功法丛书】

健身气功·五禽戏

国家体育总局健身气功管理中心　编

人民体育出版社

图书在版编目（CIP）数据

健身气功·五禽戏/国家体育总局健身气功管理中心编.
－北京：人民体育出版社，2003
（健身气功新功法丛书）
ISBN 7-5009-2431-3

Ⅰ.健… Ⅱ.国… Ⅲ.①气功 — 健身运动②五禽戏
Ⅳ.R214

中国版本图书馆 CIP 数据核字（2003）第 024004 号

＊

人民体育出版社出版发行

北京中科印刷有限公司印刷

新 华 书 店 经 销

＊

850×1168　32 开本　3.75 印张　56 千字

2003 年 7 月第 1 版　　2006 年 8 月第 6 次印刷

印数：43,341—51,340 册

＊

ISBN 7－5009－2431－3／G·2330

定价：8.00 元

社址：北京市崇文区体育馆路 8 号（天坛公园东门）

电话：67151482（发行部）　　　邮编：100061

传真：67151483　　　　　　　电挂：9474

（购买本社图书，如遇有缺损页可与发行部联系）

健身气功新功法丛书
编 委 会

内容简介

"健身气功·五禽戏"是国家体育总局健身气功管理中心组织编创的健身气功新功法之一，由上海体育学院承担研究任务。本书简要介绍了"健身气功·五禽戏"的源流、特点和习练要领，对功法的每一个动作都进行了详细分解,并附有动作要点、易犯错误、纠正方法和功理作用，以利于习练者参考对照，不断提高，起到祛病强身、延年益寿的作用。本书可供健身气功辅导人员及广大健身气功爱好者学习参考使用。

总　序

党的十六大明确提出了全面建设小康社会的宏伟目标。小康社会不仅体现在经济发展的指数上，更体现在人们的生活水平、生活质量的提高上。因此，大力构建全民健身体系，积极开展全民健身运动，不断提高全民健康水平，是全面实现小康社会的重要课题。

健身气功是以自身形体活动、呼吸吐纳、心理调节相结合为主要运动形式的民族传统体育项目。气功源远流长，汉代《尚书》里就有习练"宣导郁淤""通利关节"的"大舞"或"消肿舞"治病的记载。在湖南长沙马王堆出土的西汉文物中也有多处关于气功的描述。新中国成立后，在党和政府的关心、支持下，气功得到了继承和发展。近年来，在气功发展过程中出现了一些人借机宣扬愚昧迷信和唯心主义，甚至危害社会政治稳定的情况，对此必须引起高度重视，旗帜鲜明地加以反对。同时我们也应看到，气功以其简单易学、动作舒缓、对场地和器材要求不高、健身效果良好等特点，仍然深受广大群众特别是中老年群众喜爱，在推动全民健身运动、满足多元化体育健身需求方面发挥着积极的作用。

新世纪初，如何使健身气功这一中华民族优秀文化传统不断发扬光大、更好地为广大群众强身健体服务，是摆在体育工作者面前一项重大而现实的课题。江泽民同志在庆祝中国共产党成立八十周年大会的讲话中指出："我国几千年历史留下了丰富的文化遗产，我们应该取其精华，去其糟粕，结合时代精神加以继承和发展，做到古为今用。"正是基于此，在国家体育总局的领导下，按照"讲科学，倡主流，抓管理"的工作总体思路，在广泛调研的基础上，健身气功管理中心决定从挖掘整理优秀传统养生健身功法入手，编创健身气功新功法，积极引导群众开展健康文明的健身气功活动，满足广大群众日益增长的体育健身需求。

编创健身气功新功法工作严格按照科研课题管理办法进行，国家体育总局科教司将其列入总局管理科研课题，群体司使用体育彩票公益金予以资助。为高质量地完成编创任务，国家体育总局健身气功管理中心向全国20所具有气功教学和科研实力的体育、中医院校和科研单位公开招标；并本着"公开、公平、公正"的原则，举行了竞标会。经过激烈角逐和严格评审，武汉体育学院、上海体育学院、中国中医研究院西苑医院、北京体育大学等单位申请的历史悠久、深受广大群众欢迎且具有品牌效应的易筋经、五禽戏、六字诀和八段锦4个功法的研究课题中标。

为做好编创工作，各子课题组进行了数百万字的文献检索考证和广泛的交流研讨，还先后在北京、上海、湖北武当山等地举办了传统功法观摩研讨会。在反复比较、认真吸收传统功法不同流派优点的基础上，对功法基本动作进行了编排，并结合时代精神有新的发展、新的突破。

为检验新功法的科学性和群众接受程度，在健身气功管理中心的统一协调和有关体育行政部门、街道社区的积极支持下，各子课题组分别在北京、上海、河南、黑龙江、江苏等地进行了为期数月的新功法试验。同时开展了科研测试和问卷调查，采集数据数万个，取得了一些有价值的成果。虽然新功法试验的时间很短，但得到了广大群众的热烈响应和积极参与，其强身健体的效果已初步显现。

在"编创健身气功新功法科研课题"结题评审会

上，新功法受到了广泛好评。专家学者认为，健身气功新功法具有四个方面的显著特点：一是既吸收了传统功法的精髓，又体现了时代特色，是对中华民族传统文化的继承和发扬；二是博采众长，凝聚了各方面专家学者、各级体育行政部门、相关功法各流派和参加试验群众的辛劳和汗水，是集体智慧的结晶；三是坚持以中西医、体育以及相关现代科学理论为基础，进行了严肃的科学试验，具有较为明显的健身、养生效果；四是动作简单易学，形态优美，群众认可度高。

编创健身气功新功法工作已经有了一个良好的开端。国家体育总局健身气功管理中心将在反复试验的基础上不断修改完善新功法，使之真正为广大群众所接受，所欢迎，真正成为推广普及健身气功的标志性项目，在满足群众多元化体育需求、提高全民健康水平方面作出新的更大贡献。

目　录

前　言

　　五禽戏是东汉名医华佗根据古代导引、吐纳之术，研究了虎、鹿、熊、猿、鸟的活动特点，并结合人体脏腑、经络和气血的功能所编成的一套具有民族风格的健身气功功法。

　　为更好地体现"取其精华，去其糟粕"的精神，推动健身气功在新世纪的新发展，上海体育学院参与了国家体育总局科研课题"编创健身气功新功法"的竞标，并承担了"健身气功·五禽戏"子课题的研究任务。为此，上海体育学院专门成立了编创"健身气功·五禽戏"课题组，由长期从事气功导引、武术健身、运动生理、运动心理、运动医学、中医养生教学和科研的专家、教授领衔，数十位博士、硕士参与。在编创中，努力从文化学、社会学、运动学、生物学、心理学、现代医学和中医养生学等不同角度出发，对五禽戏功法进行挖掘、整理、研究，按照传统五禽戏的风格、特点，博采各家之长，编创了这套功理科学、内容充实、动作规范、简便易学、安全健康、效果显著的"健身气功·五禽戏"。

　　课题组首先查阅了历史上流传至今与五禽戏功法相关的文献资料五十多种，其中有专著，也有历年来公开发表的各种文章，并收集了近年制作的五禽戏功法录像二十多套。为进一步考证五禽戏的渊源，课题组专程到五禽戏创编人华佗的故乡安徽省亳州市，参观了华佗故居的华祖庵，查阅了华祖庵中关于华佗的生平以及与五禽戏相关的文献资料，拍摄了五禽戏动作塑像和出土文物，召开了两次群众座谈会，与当地五禽戏名家进行了交流，并观看了他们演示的五禽戏功法。继而，又在上海体育学院召开了传统五禽戏功法观摩研讨会，来自全国五禽戏功法不同流派的代表马凤阁、刘时荣、王健、董妙成、韦俊文进行了表演。在集思广益、博采众长的基础上，课题组经反复研究推敲，广泛征求专家意见，并在部分群众中试练、总结修改，最后确定了供试验点教学的"健身气功·五禽戏"。后在试验过程中进一步认真修改完善，2002 年底"健身气功·五禽戏"子课题通过了总课题组的结题评审。

　　在编创中，课题组坚持了以下几个方面：从健身养生入手，使新功法具有强身健体、康复保健的作用；功法来源要有传统的依据，蕴含"天人合一"思想；按照传统气功的习练原则，不仅要体现虎、鹿、熊、猿、鸟"五禽"的形神，而且要意气相随，内外合一；动作设计不拘泥象形，没有"仿生"锻炼的心理压力，有利于习练者锻炼；姿势优美大方，动作简单易学，便于记忆，有利于推广；运动量适中，安全健康，适合中老年人群锻炼；技术层次能适合不同人群在各个锻炼阶段的需求，使习练者能够不断追求技术完美，激发自我锻炼的积极性，提高健身效果。

为检验新功法的科学性程度，课题组先后在江苏省无锡市、上海市的6个健身气功活动站点，对323名年龄为50~75岁的中老年群众进行教学试验。要求每周不少于4次习练、每次为1小时的锻炼。其中，对151名习练者进行了心理学指标的对照测试，填写了自测健康评定量表，并运用相关仪器测试了注意集中能力；对85名习练者测试了生理学指标。近三个月的跟踪测试初步表明，"健身气功·五禽戏"锻炼强度适合中老年人，具有积极的健身效应。心理学指标显示：自测身体状况、器官功能、正向情绪认知功能、心理健康子量表、自测健康总评分等都出现显著性差异。生理学指标显示：女性习练者的腰围变细、腰臀比（WHR）显著下降；习练者的心血管机能、呼吸机能明显改善；握力提高，与习练前有显著性差异。另外，从功法自觉效果评价表看，习练者体力、关节灵活度有所改善，精神状态、自信心有所增强和提高。

第一章

『健身气功·五禽戏』功法源流

　　五禽戏的起源可以追溯到我国远古时代。据史料记载，当时中原大地江河泛滥，湿气弥漫，不少人患了于关节不利的"重脂"之症，为此，"乃制为舞"，"以利导之"。具有"利导"作用的"舞"，正是远古中华气功导引的一种萌芽。《吕氏春秋・古乐篇》也有类似记载。这种"舞"与模仿飞禽走兽动作、神态有关，我们可以在考古文物和历代文献中找到其依据。《庄子》说："吹呴呼吸，吐故纳新，熊经鸟申（伸），为寿而已矣。"其中，"熊经鸟伸"，就是对古代养生之士模仿动物姿势习练气功的生动而形象的描绘。1973年湖南长沙马王堆三号汉墓出土的44幅帛书《导引图》中也有不少模仿动物的姿势，如"龙登""鹞背""熊经"，有的图虽然注文残缺，但仍可看出模仿猴、猫、犬、鹤、燕以及虎豹扑食等形状。

　　对华佗编创五禽戏的记载最早见于西晋时陈寿的《三国志・华佗传》："吾有一术，名五禽之戏，一曰虎，二曰鹿，三曰熊，四曰猨（猿），五曰鸟。亦以除疾，并利蹞（蹄）足，以当导引。"南北朝时范晔在

《后汉书·华佗传》中的记载与此基本相同，只是对个别文字略作修饰，全段并没有太大出入。这些史书证明了华佗编创五禽戏确有其事，遗憾的是仅有以上文字，未及其他，动作更无从引证。

从现有文献资料看，南北朝时名医陶弘景所著的《养性延命录》最早用文字描述了五禽戏的具体动作。由于南北朝距东汉末年不过 300 年，因此，可以认为该套五禽戏动作可能比较接近华佗创编的五禽戏，但是习练起来动作难度较大。此后，明代周履靖的《夷门广牍·赤凤髓》、清代曹无极的《万寿仙书·导引篇》和席锡蕃的《五禽舞功法图说》等著作中，都以图文并茂的形式，比较详细地描述了五禽戏的习练方法。这些五禽戏功法与《养性延命录》所载有较大出入，"五禽"动作均为单式，排序也变为"虎、熊、鹿、猿、鸟"。但其文字说明不仅描述了"五禽"的动作，而且还有神态的要求，并结合了气血的运行。这些宝贵的文献资料为后人的研究提供了重要依据。

五禽戏发展至今，已形成不少流派，每个流派都有着各不相同的风格和特点，有些甚至冠以华佗之名。总的来看，他们都是根据"五禽"动作，结合自身练功体验所编的"仿生式"导引法，以活动筋骨、疏通气血、防病治病、健身延年为目的。其中，有偏重肢体运动，模仿"五禽"动作，意在健身强体的，为外功型，即通常所说的五禽戏；有仿效"五禽"神态，以内气运行为主，重视意念锻炼的，为内功型，如五禽气功图；有以刚为主，通过拍打、按摩来治疗疾病，甚至被用于散手技击、自卫御敌的，如五禽拳、五禽散手等；还有以柔劲为主，讲究动作姿势优美矫健，以舞蹈形式出现的，如五禽舞、五禽舞功法图说等。

"健身气功·五禽戏"的动作编排按照《三国志·华佗传》的记载，顺序为虎、鹿、熊、猿、鸟；动作简便易学，数量沿用了陶弘景《养性延命录》的描述，为10个动作，每戏2动，并在功法的开始和结束增加了起势调息和引气归元，体现了形、意、气的合一，符合习练者特别是中老年人运动的规律；动作素材来源于传统，在古代文献的基础上，汲取精华，加以提炼、改进；动作设计考虑与形体美学、现代人体运动学有机结合，体现时代特征和科学健身理念；功法符合中医基础理论、五禽的秉性特点，配合中医脏腑、经络学说，既有整体的健身作用，又有每一戏的特定功效；动作仿效虎之威猛、鹿之安舒、熊之沉稳、猿之灵巧、鸟之轻捷，力求蕴含"五禽"的神韵，形神兼备，意气相随，内外合一。

第二章

『健身气功·五禽戏』功法特点

一、安全易学，左右对称

"健身气功·五禽戏"是在对传统五禽戏进行挖掘整理的基础上编创的，便于广大群众习练。因此，动作力求简捷，左右对称，平衡发展，既可全套连贯习练，也可侧重多练某戏，还可只练某戏，运动量较为适中，属有氧训练，各人可根据自身情况调节每势动作的运动幅度和强度，安全可靠。

整套功法虽然动作相对简单，但每一动作无论是动姿或静态，都有细化、精化的余地。如"虎举"，手型的变化，就可细化为撑掌、屈指、拧拳三个过程；两臂的举起和下落，又可分为提、举、拉、按四个阶段，并将内劲贯注于动作的变化之中，眼神要随手而动，带动头部的仰俯变化。待动作熟练后，还可按照起吸落呼的规律以及虎的神韵要求，内外合一地进行锻炼。习练者可根据自己的身体条件和健康状况，循序渐进，逐步提高。

二、引伸肢体，动诸关节

本功法动作体现了身体躯干的全方位运动，包括前俯、后仰、侧屈、拧转、折叠、提落、开合、缩放等各种不同的姿势，对颈椎、胸椎、腰椎等部位进行了有效的锻炼。总的来看，新功法以腰为主轴和枢纽，带动上、下肢向各个方向运动，以增大脊柱的活动幅度，增强健身功效。

本功法特别注意手指、脚趾等关节的运动，以达到加强远端血液微循环的目的。同时，还注意对平时活动较少或为人们所忽视的肌肉群的锻炼。例如，在设计"鹿抵""鹿奔""熊晃""猿提""鸟伸"等动作时，就充分考虑了这些因素。试验点教学效果检测对比数据也证实了这些动作的独特作用，有关指标呈现出较为明显的变化。

三、外导内引，形松意充

古人将"导引"解释为"导气令和，引体令柔"。所谓"导气令和"，主要指疏通调畅体内气血和调顺呼吸之气；所谓"引体令柔"，就是指活利关节、韧带、肌肉的肢体运动。"健身气功·五禽戏"是以模仿动物姿势、以动为主的功法，根据动作的升降开合，以形引气。虽然"形"显示于外，但为内在的"意""神"所系。外形动作既要仿效虎之威猛、鹿之安舒、熊之沉稳、猿之灵巧、鸟之轻捷，还要力求蕴含"五禽"的神韵，意气相随，内外合一。例如"熊运"，外形动作为两手在腹前划弧，腰、腹部同步摇晃，实则要求丹田内气也要随之运使，呼吸之气也要按照提吸落呼的规律去做，以达到"心息相依"的要求。

习练过程在保持功法要求的正确姿势前提下，各部分肌肉应尽量保持放松，做到舒适自然，不僵硬，不拿劲，不软塌。只有肢体松沉自然，才能做到以意引气，气贯全身；以气养神，气血通畅，从而增强体质。

四、动静结合，练养相兼

"健身气功·五禽戏"模仿"五禽"的动作和姿势，舒展肢体，活络筋骨，同时在功法的起势、收势以及每一戏结束后，配以短暂的静功站桩，诱导习练者进入相对平稳的状态和"五禽"的意境，以此来调整气息、宁心安神，起到"外静内动"的功效。具体来说，肢体运动时，形显示于外，但意识、神韵贯注于动作中，排除杂念，思想达到相对的"入静"状态；进行静功站桩时，虽然形体处于安静状态，但是必须体会到体内的气息运行以及"五禽"意境的转换。动与静的有机结合，两个阶段相互交替出现，起到练养相兼的互补作用，可进一步提高练功效果。

第三章

『健身气功·五禽戏』习练要领

习练"健身气功·五禽戏"，必须把握好"形、神、意、气"四个环节。

一、形

形，即练功时的姿势。古人说："形不正则气不顺，气不顺则意不宁，意不宁则神散乱"，说明姿势在练功中的重要性。开始练功时，头身正直，含胸垂肩，体态自然，使身体各部位放松、舒适，不仅肌肉放松，而且精神上也要放松，呼吸要调匀，逐步进入练功状态。开始习练每戏时，要根据动作的名称含义，做出与之相适应的动作造型，动作到位，合乎规范，努力做到"演虎像虎""学熊似熊"。特别是对动作的起落、高低、轻重、缓急、虚实要分辨清楚，不僵不滞，柔和灵活，以达到"引挽①腰体，动诸关节，以求难老"的功效。

----

①挽：即"牵""拉"之意。

二、神

神，即神态、神韵。养生之道在于"形神合一"。习练健身气功应当做到"惟神是守"。只有"神"守于"中"，而后才能"形"全于"外"。所谓"戏"，有玩耍、游戏之意，这也是"健身气功·五禽戏"与其他健身气功功法不同之处。只有掌握"五禽"的神态，进入玩耍、游戏的意境，神韵方能显现出来，动作形象才可能逼真。虎戏要仿效虎的威猛气势，虎视眈眈；鹿戏要仿效鹿的轻捷舒展，自由奔放；熊戏要仿效熊的憨厚刚直，步履沉稳；猿戏要仿效猿的灵活敏捷，轻松活泼；鸟戏要仿效鹤的昂首挺立，轻盈潇洒。

三、意

意，即意念、意境。《黄帝内经》指出："心为五脏六腑之大主，心动五脏六腑皆摇。"这里的"心"指的是大脑，说明人的思维活动和情绪变化都能影响五脏六腑的功能。因此，在习练中，要尽可能排除不利于身体健康的情绪和思想，创造一个美好的内环境。开始练功时，可以通过微想腹部下丹田❶处，使思想集中，排除杂念，做到心静神凝。习练每戏时，逐步进入"五禽"的意境，模仿不同动物的不同动作。练"虎戏"时，要意想自己是深山中的猛虎，伸展肢体，抓捕食物；练"鹿戏"时，要意想自己是原野上的梅花鹿，众鹿戏抵，伸足迈步；练"熊戏"时，要意想自己是山林中的黑熊，转腰运腹，自由漫行；练"猿戏"时，要意想自己是置于花果山中的灵猴，活泼灵巧，摘桃献果；练"鸟戏"时，要意想自己是江边仙鹤，抻筋拔骨，展翅飞翔。意随形动，气随意行，达到意、气、形合一，以此来疏通经络，调畅气血。

四、气

气，即指练功时对呼吸的锻炼，也称调息。就是习练者有意识地注意呼吸调整，不断去体会、掌握、运用与自己身体状况或与动作变化相适应的呼吸方法。对于初学者，应先学会动作，明确其含义，使姿势达到舒适准确。待身体放松、情绪安宁后，逐渐注意调整呼吸。古人说："使气则竭，屏气则伤"，应

---

❶下丹田：一般指脐下小腹中心部位。

引以为戒。习练"健身气功·五禽戏"时，呼吸和动作的配合有以下规律：起吸落呼，开吸合呼，先吸后呼，蓄吸发呼。其主要呼吸形式有自然呼吸、腹式呼吸、提肛呼吸等，可根据姿势变化或劲力要求而选用。但是，不管选用何种呼吸形式，都要求松静自然，不能憋气。同时，呼吸的"量"和"劲"都不能太过、太大，以不疾不徐为宜，逐步达到缓慢、细匀、深长的程度，以利身体健康。

另外，在习练中特别要注意以下两个方面：

（一）由浅入深

"健身气功·五禽戏"包括起势、收功，共12个动作。虽然动作相对简单，容易学会，但要练得纯熟，动作细化、精化，必须经过一段时间的认真习练。因此，初学者必须先掌握动作的姿势变化和运行路线，搞清来龙去脉，跟随他人一起边模仿边练习，尽快融入集体习练中，初步做到"摇筋骨，动肢节"即可。随后，在习练中要注意动作的细节，可采取上、下肢分解练习，再过渡到以腰为轴的完整动作习练，最后进行逐动、逐戏和完整功法的习练，使动作符合规范，并达到熟练的程度。此时，就要注意动作和呼吸、意识、神韵的结合，充分理解动作的内涵和意境，真正达到"形神兼备、内外合一"。特别需要指出的是，不要动作还没真正搞清，就想追求内在的体验，这是不可能的，甚至会出现不良后果。练功必须由简到繁，由浅入深，循序渐进，逐步掌握。只有这样，才能保证把基础打好，防止出现偏差。

（二）因人而异

习练时，中老年人，尤其是患有各种慢性疾病者，需要根据自身体质状况来进行。动作的速度、步姿的高低、幅度的大小、锻炼的时间、习练的遍数、运动量的大小都应很好把握。其原则是练功后感到精神愉快，心情舒畅，肌肉略感酸胀，但不感到太疲劳，不妨碍正常的工作和生活。切忌急于求成，贪多求快。

第四章 『健身气功·五禽戏』动作说明

图　1

图　2

第一节　手型、步型和平衡

一、基本手型

虎爪

五指张开，虎口撑圆，第一、二指关节弯曲内扣（图1）。

鹿角

拇指伸直外张，食指、小指伸直，中指、无名指弯曲内扣（图2）。

图　3

图　4

熊掌

拇指压在食指指端上，其余四指并拢弯曲，虎口撑圆（图3）。

猿钩

五指指腹捏拢，屈腕（图4）。

鸟翅

五指伸直，拇指、食指、小指向上翘起，无名指、中指并拢向下（图5）。

图　5

握固

拇指抵掐无名指根节内侧，其余四指屈拢收于掌心（图6）。

图 6

二、基本步型

弓步

两腿前后分开一大步，横向之间保持一定宽度，右（左）腿屈膝前弓，大腿斜向地面，膝与脚尖上下相对，脚尖微内扣；左（右）腿自然伸直，脚跟蹬地，脚尖稍内扣，全脚掌着地（图7）。

图 7

图 8　　　　　　　图 9

虚步

右（左）脚向前迈出，脚跟着地，脚尖上翘，膝微屈；左（右）腿屈膝下蹲，全脚掌着地，脚尖斜向前方，臀部与脚跟上下相对。身体重心落于左（右）腿（图8）。

丁步

两脚左右分开，间距约10~20厘米，两腿屈膝下蹲，左（右）脚脚跟提起，脚尖着地，虚点地面，置于右（左）脚脚弓处，右（左）腿全脚掌着地踏实（图9）。

图 10

图 11

三、平　衡

提膝平衡

左（右）腿直立站稳，上体正直；右（左）腿在体前屈膝上提，小腿自然下垂，脚尖向下（图10）。

后举腿平衡

右（左）腿蹬直站稳，左（右）腿伸直，向体后举起，脚面绷平，脚尖向下（图11）。

图 12　　　　　　　　　图 13

第二节　动作图解

预备势　起势调息

动作一：两脚并拢，自然伸直；两手自然垂于体侧；胸腹放松，头项正直，下颏微收，舌抵上腭；目视前方（图12）。

动作二：左脚向左平开一步，稍宽于肩，两膝微屈，松静站立；调息数次，意守丹田（图13）。

图 14

图 15

动作三：肘微屈，两臂在体前向上、向前平托，与胸同高（图14）。

动作四：两肘下垂外展，两掌向内翻转，并缓慢下按于腹前；目视前方（图15）。

重复三、四动两遍后，两手自然垂于体侧（图16）。

图 16

动作要点

1. 两臂上提下按，意在两掌劳宫穴❶，动作柔和、均匀、连贯。

2. 动作也可配合呼吸，两臂上提时吸气，下按时呼气。

易犯错误

1. 向左开步时，两膝过分挺直，身体左右摇晃。

2. 两掌上提下按时，运行路线直来直去，两肘尖外扬，肩膀上耸。

纠正方法

1. 开步前，两膝先微屈；开步时，身体重心先落于右脚，左脚提起后，再缓缓向左移动，左脚掌先着地，使重心保持平稳。

2. 意念沉肩，再两臂起动，肘尖有下垂感觉，两掌上提、内合、下按，运行路线成弧线，圆活自然。

功理与作用

1. 排除杂念，诱导入静，调和气息，宁心安神。

2. 吐故纳新，升清降浊，调理气机。

---

❶劳宫穴：在掌中央，第二、三掌骨之间；握拳，中指尖所点处。

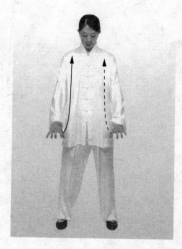

图 17

第一戏　虎　戏

"虎戏"要体现虎的威猛。神发于目，虎视眈眈；威生于爪，伸缩有力；神威并重，气势凌人。动作变化要做到刚中有柔、柔中生刚、外刚内柔、刚柔相济，具有动如雷霆无阻挡、静如泰山不可摇的气势。

第一式　虎　举

动作一：接上式。两手掌心向下，十指撑开，再弯曲成虎爪状；目视两掌（图17）。

图　18　　　　　　　　图　19

　　动作二：随后，两手外旋，由小指先弯曲，其余四指依次弯曲握拳，两拳沿体前缓慢上提（图18）。至肩前时，十指撑开，举至头上方再弯曲成虎爪状；目视两掌（图19）。

　　动作三：两掌外旋握拳，拳心相对；目视两拳。

图　20

图　21

动作四：两拳下拉至肩前时，变掌下按（图20）。沿体前下落至腹前，十指撑开，掌心向下；目视两掌（图21）。

重复一至四动三遍后，两手自然垂于体侧；目视前方（图22）。

图　22

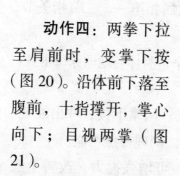

动作要点

1. 十指撑开、弯曲成"虎爪"和外旋握拳，三个环节均要贯注劲力。

2. 两掌向上如托举重物，提胸收腹，充分拔长躯体；两掌下落如拉双环，含胸松腹，气沉丹田。

3. 眼随手动。

4. 动作可配合呼吸，两掌上举时吸气，下落时呼气。

易犯错误

1. 手直接由掌变拳，虎爪状不明显。

2. 两掌上举时，身体后仰，成反弓状。

纠正方法

1. 手指撑开后，先依次屈扣第一、二节指关节，再紧握成拳。

2. 两掌向头部正上方托举，身体与地面保持垂直。

功理与作用

1. 两掌举起，吸入清气；两掌下按，呼出浊气。一升一降，疏通三焦❶气机，调理三焦功能。

2. 手成"虎爪"变拳，可增强握力，改善上肢远端关节的血液循环。

---

❶三焦：六腑之一，是上焦、中焦、下焦的合称，纵贯于人体的上、中、下三部，有总领五脏六腑经络、内外、上下之气的功能。

图 23

图 24

第二式 虎 扑

动作一：接上式。两手握空拳，沿身体两侧上提至肩前上方（图23）。

动作二：两手向上、向前划弧，十指弯曲成"虎爪"，掌心向下；同时上体前俯，挺胸塌腰；目视前方（图24、图24侧）。

图 24 侧

图 25

图 26

动作三：两腿屈膝下蹲，收腹含胸；同时，两手向下划弧至两膝侧，掌心向下；目视前下方（图25）。随后，两腿伸膝，送髋，挺腹，后仰；同时，两掌握空拳，沿体侧向上提至胸侧；目视前上方（图26、图26侧）。

图 26 侧

图 27

图 28

动作四：左腿屈膝提起，两手上举（图27）。左脚向前迈出一步，脚跟着地，右腿屈膝下蹲，成左虚步；同时上体前倾，两拳变"虎爪"向前、向下扑至膝前两侧，掌心向下；目视前下方（图28）。随后上体抬起，左脚收回，开步站立；两手自然下落于体侧；目视前方（图29）。

图 29

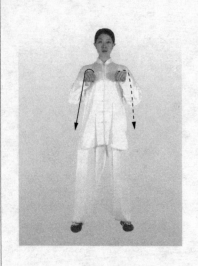

图 30

图 31

动作五至动作八:
同动作一至动作四,惟
左右相反（图30、图
31、图32、图33、图
34、图35、图36）。

图 32

图 33

图 34

图 35

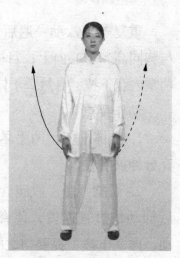

图 36

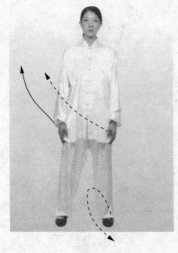

图 37　　　　　　　图 38

重复一至八动一遍后，两掌向身体侧前方举起，与胸同高，掌心向上；目视前方（图37）。两臂屈肘，两掌内合下按，自然垂于体侧；目视前方（图38）。

动作要点

1. 上体前俯，两手尽力向前伸，而臀部向后引，充分伸展脊柱。

2. 屈膝下蹲、收腹含胸要与伸膝、送髋、挺腹、后仰动作过程连贯，使脊柱形成由折叠到展开的蠕动，两掌下按上提要与之配合协调。

3. 虚步下扑时，速度可加快，先柔后刚，配合快速深呼气，气由丹田发出，以气催力，力达指尖，表现出虎的威猛。

4. 中老年习练者和体弱者，可根据情况适当减小动作幅度。

易犯错误

1. "虎爪"和握拳两种手型的变化过程掌握不当。

2. 身体由折弯到展开不够充分，两手配合不够协调。

3. 向前迈步成虚步时，重心不稳，左右摇晃。

纠正方法

1. 两手前伸抓扑时，拳变"虎爪"，力达指尖，由柔转刚；两掌向里划弧回收时，"虎爪"屈拢，轻握空拳，由刚转柔。

2. 身体前挺展开时，两手要注意后伸，运行路线要成弧形，协助身体完成屈伸蠕动。

3. 迈步时，两脚横向间距要保持一定宽度，适当增大稳定角度。

功理与作用

1. 虎扑动作形成了脊柱的前后伸展折叠运动，尤其是引腰前伸，增加了脊柱各关节的柔韧性和伸展度，可使脊柱保持正常的生理弧度。

2. 脊柱运动能增强腰部肌肉力量，对常见的腰部疾病，如腰肌劳损、习惯性腰扭伤等症有防治作用。

3. 督脉❶行于背部正中，任脉❷行于腹部正中。脊柱的前后伸展折叠，牵动任、督两脉，起到调理阴阳、疏通经络、活跃气血的作用。

第二戏　鹿　戏

鹿喜挺身眺望，好角抵，运转尾闾❸，善奔走，通任、督两脉。习练"鹿戏"时，动作要轻盈舒展，神态要安闲雅静，意想自己置身于群鹿中，在山坡、草原上自由快乐地活动。

第三式　鹿　抵

动作一：接上式。两腿微屈，身体重心移至右腿，左脚经右脚内侧向左前方迈步，脚跟着地；同

---

❶督脉：奇经八脉之一。起于胞中，下出会阴，经尾闾，沿脊柱上行，至项后风池穴进入脑内，沿头部正中线经头顶、前额、鼻至龈交穴止。

❷任脉：奇经八脉之一。起于胞中，下出会阴，上至毛际而入腹内，沿前正中线到达咽喉，上行至下唇内，环绕口唇，在龈交穴接于督脉，并络于两目下。

❸尾闾：在尾骶骨末节。

图 39

图 40

时，身体稍右转；两掌握空拳，向右侧摆起，拳心向下，高与肩平；目随手动，视右拳（图39）。

动作二：身体重心前移；左腿屈膝，脚尖外展踏实；右腿伸直蹬实；同时，身体左转，两掌成"鹿角"，向上、向左、向后划弧，掌心向外，指尖朝后，左臂弯曲外展平伸，肘抵靠左腰侧；右臂举至头前，向左后方伸抵，掌心向外，指尖朝后；目视右脚跟（图40、

 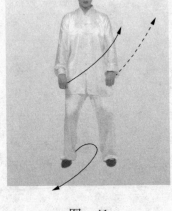

图40 侧　　　　　　　图 41

图40 侧）。随后，身体右转，左脚收回，开步站立；
同时两手向上、向右、向下划弧，两掌握空拳下落于
体前；目视前下方（图41）。

图 42

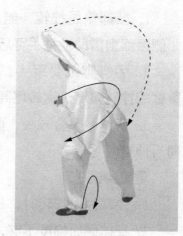

图 43

动作三、四：同动作一、二，惟左右相反（图 42、图 43、图 44）。

动作五至动作八：同动作一至动作四。

重复一至八动一遍。

图 44

动作要点

1. 腰部侧屈拧转，侧屈的一侧腰部要压紧，另一侧腰部则借助上举手臂后伸，得到充分牵拉。

2. 后脚脚跟要蹬实，固定下肢位置，加大腰、腹部的拧转幅度，运转尾闾。

3. 动作可配合呼吸，两掌向上划弧摆动时吸气，向后伸抵时呼气。

易犯错误

1. 腰部侧屈拧转时，身体过于前倾。

2. 身体侧屈幅度不够，眼看不到后脚跟。

纠正方法

1. 后腿沉髋，有助于上体正直，可加大腰部拧转幅度。

2. 重心前移，增加前腿膝关节弯曲度，同时加大上举手臂向后下方伸展的幅度。

功理与作用

1. 腰部的侧屈拧转，使整个脊椎充分旋转，可增强腰部的肌肉力量，也可防治腰部的脂肪沉积。

2. 目视后脚脚跟，加大腰部在拧转时的侧屈程度，可防治腰椎小关节紊乱等症。

3. 中医认为，"腰为肾之府"。尾闾运转，可起到强腰补肾、强筋健骨的功效。

图　45

第四式　鹿　奔

动作一：接上式。左脚向前跨一步，屈膝，右腿伸直成左弓步；同时，两手握空拳，向上、向前划弧至体前，屈腕，高与肩平，与肩同宽，拳心向下；目视前方（图45）。

图 46　　　　　　　　　　图 46　侧

　　动作二：身体重心后移；左膝伸直，全脚掌着地；右腿屈膝；低头，弓背，收腹；同时，两臂内旋，两掌前伸，掌背相对，拳变"鹿角"（图 46、图 46 侧）。

图 47

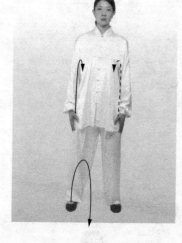

图 48

动作三：身体重心前移，上体抬起；右腿伸直，左腿屈膝，成左弓步；松肩沉肘，两臂外旋，"鹿角"变空拳，高与肩平，拳心向下；目视前方（图47）。

动作四：左脚收回，开步直立；两拳变掌，回落于体侧；目视前方（图48）。

图　49

图　50

图　51

图　52

动作五至动作八：同动作一至动作四，惟左右相反（图49、图50、图51、图52）。

图　53

图　54

重复一至八动一遍后，两掌向身体侧前方举起，与胸同高，掌心向上；目视前方（图53）。屈肘，两掌内合下按，自然垂于体侧；目视前方（图54）。

动作要点

1. 提腿前跨要有弧度，落步轻灵，体现鹿的安舒神态。

2. 身体后坐时，两臂前伸，胸部内含，背部形成"横弓"状；头前伸，背后拱，腹收缩，臀内敛，形成"竖弓"状，使腰、背部得到充分伸展和拔长。

3. 动作可配合呼吸。身体后坐时，配合吸气。重心前移时，配合呼气。

易犯错误

1. 落步后两脚成一直线，重心不稳，上体紧张歪扭。

2. 背部"横弓"与躯干"竖弓"不够明显。

纠正方法

1. 脚提起后，向同侧肩部正前方跨步，保持两脚横向宽度。

2. 加大两肩内旋幅度，可增大收胸程度；头、髋前伸，收腹后顶，可增大躯干的后弯幅度。

功理与作用

1. 两臂内旋前伸，肩、背部肌肉得到牵拉，对颈肩综合症、肩关节周围炎等症有防治作用；躯干弓背收腹，能矫正脊柱畸形，增强腰、背部肌肉力量。

2. 向前落步时，气充丹田。身体重心后坐时，气运命门❶，加强了人的先天与后天之气的交流。尤其是重心后坐，整条脊柱后弯，内夹尾闾，后凸命门，打开大椎❷，意在疏通督脉经气，具有振奋全身阳气的作用。

---

❶命门：位于腰部后正中线上，当第二腰椎棘突与第三腰椎棘突之间的凹陷处。

❷大椎：位于背上部，当第一胸椎棘突之上与第七颈椎棘突之间的凹陷处。

图 55

第三戏　熊　戏

"熊戏"要表现出熊憨厚沉稳、松静自然的神态。运势外阴内阳，外动内静，外刚内柔，以意领气，气沉丹田；行步外观笨重拖沓，其实笨中生灵，蕴含内劲，沉稳之中显灵敏。

第五式　熊　运

动作一：接上式。两掌握空拳成"熊掌"，拳眼相对，垂于下腹部；目视两拳（图55）。

图　56　　　　　　　　　　　图　57

　　动作二：以腰、腹为轴，上体做顺时针摇晃；同时，两拳随之沿右肋部、上腹部、左肋部、下腹部划圆；目随上体摇晃环视（图56、图57、图58、图59）。

图 58　　　　　　图 59

动作三、四：同动作一、二。

图 60 图 61

　　动作五至动作八：同动作一至动作四，惟左右相反，上体做逆时针摇晃，两拳随之划圆（图60、图61、图62、图63）。

图　62　　　　　　　图　63

做完最后一动，两拳变掌下落，自然垂于体侧；目视前方（图64）。

动作要点

1. 两掌划圆应随腰、腹部的摇晃而被动牵动，要协调自然。

2. 两掌划圆是外导，腰、腹摇晃为内引，意念内气在腹部丹田运行。

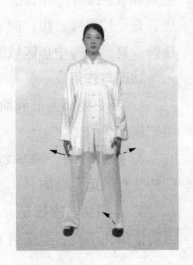

图　64

3. 动作可配合呼吸，身体上提时吸气，身体前俯时呼气。

易犯错误

1. 两掌贴腹太紧或主动划圆形成摩腹动作，没有随腰、腹部的转动协调地进行划圆摆动。

2. 以腰、胯为轴进行转动，或身体摇晃幅度过大。

纠正方法

1. 肩肘放松，两掌轻附于腰、腹，体会用腰、腹的摇晃来带动两手运行。

2. 相对固定腰、胯位置，身体摇晃时，在意念上是做立圆摇转。因此，当向上摇晃时，做提胸收腹，充分伸展腰、腹；向下摇晃时，做含胸松腹，挤压脾、胃、肝等中焦区域的内脏器官。

功理与作用

1. 活动腰部关节和肌肉，可防治腰肌劳损及软组织损伤。

2. 腰腹转动，两掌划圆，引导内气运行，可加强脾、胃的运化功能。

3. 运用腰、腹摇晃，对消化器官进行体内按摩，可防治消化不良、腹胀纳呆、便秘腹泻等症。

图 65

图 66

第六式 熊 晃

动作一：接上式。身体重心右移；左髋上提，牵动左脚离地，再微屈左膝；两掌握空拳成"熊掌"；目视左前方（图65）。

动作二：身体重心前移；左脚向左前方落地，全脚掌踏实，脚尖朝前，右腿伸直；身体右转，左臂内旋前靠，左拳摆至左膝前上方，拳心朝左；右拳摆至体后，拳心朝后；目视左前方（图66）。

图 67 图 68

动作三：身体左转，重心后坐；右腿屈膝，左腿伸直；拧腰晃肩，带动两臂前后弧形摆动；右拳摆至左膝前上方，拳心朝右；左拳摆至体后，拳心朝后；目视左前方（图67）。

动作四：身体右转，重心前移；左腿屈膝，右腿伸直；同时，左臂内旋前靠，左拳摆至左膝前上方，拳心朝左；右拳摆至体后，拳心朝后；目视左前方（图68）。

动作五至动作八：同动作一至动作四，惟左右相反（图69、图70、图71、图72）。

图 69

图 70

图 71

图 72

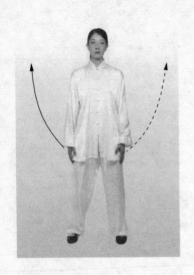

图　73

图　74

重复一至八动一遍后，左脚上步，开步站立；同时，两手自然垂于体侧（图73）。两掌向身体侧前方举起，与胸同高，掌心向上；目视前方（图74）。屈肘，两掌内合下按，自然垂于体侧；目视前方（图75）。

图　75

动作要点

1. 用腰侧肌群收缩来牵动大腿上提，按提髋、起腿、屈膝的先后顺序提腿。

2. 两脚前移，横向间距稍宽于肩，随身体重心前移，全脚掌踏实，使震动感传至髋关节处，体现熊步的沉稳厚实。

易犯错误

1. 没有提髋动作，直接屈膝提腿，向前迈步。

2. 落步时，脚用力前踏，髋关节处没有震动感。

纠正方法

1. 可先练习左右提髋。方法是：两肩保持水平，重心移向右脚，上提左髋，牵动左腿提起，再原处落下；然后重心左移，上提右髋。以此体会腰侧肌群收缩状态。

2. 提髋，屈膝，身体重心前移，脚自然落地，体重落于全脚掌。同时踝、膝关节放松，使震动感传至髋部。

功理与作用

1. 身体左右晃动，意在两胁，调理肝脾。

2. 提髋行走，加上落步的微震，可增强髋关节周围肌肉的力量，提高平衡能力，有助于防治老年人下肢无力、髋关节损伤、膝痛等症。

图 76　　　　　　　　图 77

第四戏　猿　戏

　　猿生性好动，机智灵敏，善于纵跳，折枝攀树，躲躲闪闪，永不疲倦。习练"猿戏"时，外练肢体的轻灵敏捷，欲动则如疾风闪电，迅敏机警；内练精神的宁静，欲静则似静月凌空，万籁无声，从而达到"外动内静""动静结合"的境界。

第七式　猿　提

　　动作一：接上式。两掌在体前，手指伸直分开（图 76），再屈腕撮拢捏紧成"猿钩"（图 77）。

图 78

图 78 侧

动作二：两掌上提至胸，两肩上耸，收腹提肛；同时，脚跟提起，头向左转；目随头动，视身体左侧（图78、图78侧）。

动作三：头转正，两肩下沉，松腹落肛，脚跟着地；"猿钩"变掌，掌心向下；目视前方（图79）。

图 79

65

图 80　　　　　　　　　图 81

动作四：两掌沿体前下按落于体侧；目视前方（图80）。

动作五至动作八：同动作一至动作四，惟头向右转（图81、图82、图83、图84、图85）。

重复一至八动一遍。

图 82

图 83

图 84

图 85

动作要点

1. 掌指撮拢变钩，速度稍快。

2. 耸肩、收腹、提肛、脚跟离地、转头的顺序，上提重心。耸肩、缩胸、屈肘、提腕要充分。

3. 动作可配合提肛呼吸。两掌上提吸气时，稍用意提起会阴部；下按呼气时，放下会阴部。

易犯错误

1. 脚跟离地后，重心不稳，前后晃动。

2. 耸肩不够充分，胸、背部和上肢不能充分团紧。

纠正方法

1. 头部百会穴❶ 上领，牵动整个身体垂直向上，起到稳定重心的作用。

2. 以胸部膻中穴❷ 为中心，缩项、夹肘、团胸、收腹，可加强胸、背部和上肢的团紧程度。

功理与作用

1. "猿钩"的快速变化，意在增强神经—肌肉反应的灵敏性。

---

❶百会穴：在后发际正中直上七寸。简易取穴法：两耳尖连线与头部正中线之交点处。

❷膻中穴：在胸前部，两乳头连线间的中点，一般多平齐第五胸肋关节的高度。

图 86

2. 两掌上提时，缩项，耸肩，团胸吸气，挤压胸腔和颈部血管；两掌下按时，伸颈，沉肩，松腹，扩大胸腔体积，可增强呼吸，按摩心脏，改善脑部供血。

3. 提踵直立，可增强腿部力量，提高平衡能力。

第八式　猿　摘

动作一：接上式。左脚向左后方退步，脚尖点地，右腿屈膝，重心落于右腿；同时，左臂屈肘，左掌成"猿钩"收至左腰侧；右掌向右前方自然摆起，掌心向下（图 86）。

图　87

　　动作二：身体重心后移；左脚踏实，屈膝下蹲，右脚收至左脚内侧，脚尖点地，成右丁步；同时，右掌向下经腹前向左上方划弧至头左侧，掌心对太阳穴❶；目先随右掌动，再转头注视右前上方（图87）。

---

❶太阳穴：在头侧，眉梢与目外眦之间向后约1寸凹陷处。

图 88　　　　　　　　　图 89

动作三：右掌内旋，掌心向下，沿体侧下按至左髋侧；目视右掌（图88）。右脚向右前方迈出一大步，左腿蹬伸，身体重心前移；右腿伸直，左脚脚尖点地；同时，右掌经体前向右上方划弧，举至右上侧变"猿钩"，稍高于肩；左掌向前、向上伸举，屈腕撮钩，成采摘势；目视左掌（图89）。

图　90

图　91

　　动作四：身体重心后移；左掌由"猿钩"变为
"握固"；右手变掌，自然回落于体前，虎口朝前（图
90）。随后，左腿屈膝下蹲，右脚收至左脚内侧，脚
尖点地，成右丁步；同时，左臂屈肘收至左耳旁，掌
指分开，掌心向上，成托桃状；右掌经体前向左划弧
至左肘下捧托；目视左掌（图91）。

图 92

图 93

动作五至动作八：
同动作一至动作四，惟
左右相反（图 92、图
93、图 94、图 95、图
96、图 97）。

图 94

图　95

图　96

图　97

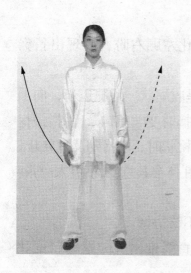

图 98

图 99

重复一至八动一遍后，左脚向左横开一步，两腿直立；同时，两手自然垂于体侧（图98）。两掌向身体侧前方举起，与胸同高，掌心向上；目视前方（图99）。屈肘，两掌内合下按，自然垂于体侧；目视前方（图100）。

图 100

动作要点

1. 眼要随上肢动作变化左顾右盼，表现出猿猴眼神的灵敏。

2. 屈膝下蹲时，全身呈收缩状。蹬腿迈步，向上采摘，肢体要充分展开。采摘时变"猿钩"，手指撮拢快而敏捷；变握固后，成托桃状时，掌指要及时分开。

3. 动作以神似为主，重在体会其意境，不可太夸张。

易犯错误

1. 上、下肢动作配合不够协调。

2. 摘桃时，手臂向上直线推出，"猿钩"变化的时机掌握不准。

纠正方法

1. 下蹲时，手臂屈肘，上臂靠近身体；蹬伸时，手臂充分展开。

2. 向上采摘，手的运行路线呈向上弧形，动作到位时，手掌才变猿钩状。

功理与作用

1. 眼神的左顾右盼，有利于颈部运动，促进脑部的血液循环。

2. 动作的多样性体现了神经系统和肢体运动的协调性，模拟猿猴在采摘桃果时愉悦的心情，可减轻大脑神经系统的紧张度，对神经紧张、精神忧郁等症有防治作用。

图 101

第五戏 鸟 戏

鸟戏取形于鹤。鹤是轻盈安详的鸟类，人们对它进行描述时往往寓意它的健康长寿。习练时，要表现出鹤的昂然挺拔、悠然自得的神韵。仿效鹤翅飞翔，抑扬开合。两臂上提，伸颈运腰，真气上引；两臂下合，含胸松腹，气沉丹田。活跃周身经络，灵活四肢关节。

第九式 鸟 伸

动作一： 接上式。两腿微屈下蹲，两掌在腹前相叠（图 101）。

图 102　　　　　　　　　图 102　侧

动作二：两掌向上举至头前上方，掌心向下，指尖向前；身体微前倾，提肩，缩项，挺胸，塌腰；目视前下方（图102、图102侧）。

动作三：两腿微屈下蹲；同时，两掌相叠下按至腹前；目视两掌（图103）。

图　103

图 104   图 104 侧

动作四：身体重心右移；右腿蹬直，左腿伸直向后抬起；同时，两掌左右分开，掌成"鸟翅"，向体侧后方摆起，掌心向上；抬头，伸颈，挺胸，塌腰；目视前方（图 104、图 104 侧）。

图　105　　　　　　　　图　106

动作五至动作八：同动作一至动作四，惟左右相反（图105、图106、图107、图108）。

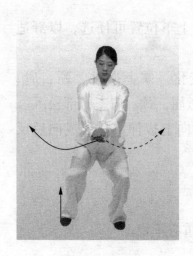

图 107

图 108

　　重复一至八动一遍
后，左脚下落，两脚开
步站立，两手自然垂于
体侧；目视前方（图
109）。

图 109

动作要点

1. 两掌在体前相叠，上下位置可任选，以舒适自然为宜。

2. 注意动作的松紧变化。掌上举时，颈、肩、臀部紧缩；下落时，两腿微屈，颈、肩、臀部松沉。

3. 两臂后摆时，身体向上拔伸，并形成向后反弓状。

易犯错误

1. 松紧变化掌握不好。

2. 单腿支撑时，身体重心不稳。

纠正方法

1. 先练习两掌相叠，在体前做上举下落动作，上举时收紧，下落时放松，逐步过渡到完整动作。

2. 身体重心移到支撑腿后，另腿再向后抬起，支撑腿的膝关节挺直，有助于提高动作的稳定性。

功理与作用

1. 两掌上举吸气，扩大胸腔；两手下按，气沉丹田，呼出浊气，可加强肺的吐故纳新功能，增加肺活量，改善慢性支气管炎、肺气肿等病的症状。

2. 两掌上举，作用于大椎和尾闾，督脉得到牵动；两掌后摆，身体成反弓状，任脉得到拉伸。这种松紧交替的练习方法，可增强疏通任、督两脉经气的作用。

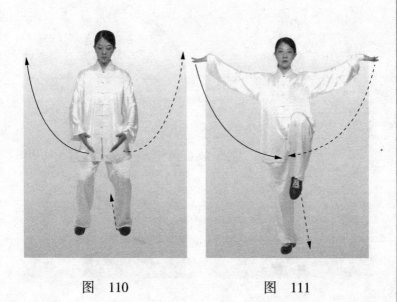

图　110　　　　　　　　　图　111

第十式　鸟　飞

接上式。两腿微屈；两掌成"鸟翅"合于腹前，掌心相对；目视前下方（图110）。

动作一：右腿伸直独立，左腿屈膝提起，小腿自然下垂，脚尖朝下；同时，两掌成展翅状，在体侧平举向上，稍高于肩，掌心向下；目视前方（图111）。

图　112　　　　　　　　　图　113

动作二：左脚下落在右脚旁，脚尖着地，两腿微屈；同时，两掌合于腹前，掌心相对；目视前下方（图112）。

动作三：右腿伸直独立，左腿屈膝提起，小腿自然下垂，脚尖朝下；同时，两掌经体侧，向上举至头顶上方，掌背相对，指尖向上；目视前方（图113）。

图 114

动作四: 左脚下落在右脚旁,全脚掌着地,两腿微屈;同时,两掌合于腹前,掌心相对;目视前下方(图114)。

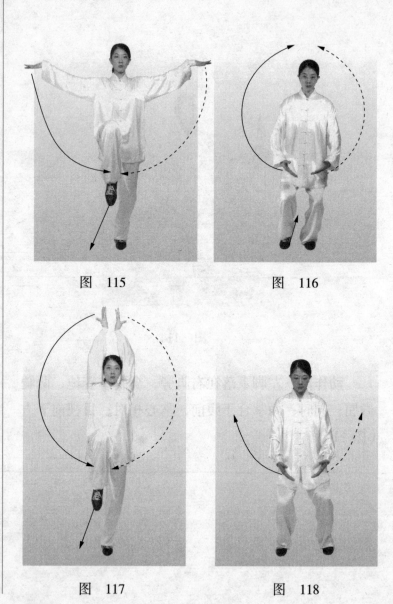

图 115

图 116

图 117

图 118

图 119   图 120

动作五至动作八：同动作一至动作四，惟左右相反（图 115、图 116、图 117、图 118）。

重复一至八动一遍后，两掌向身体侧前方举起，与胸同高，掌心向上；目视前方（图 119）。屈肘，两掌内合下按，自然垂于体侧；目视前方（图 120）。

动作要点

1. 两臂侧举，动作舒展，幅度要大，尽量展开胸部两侧；两臂下落内合，尽量挤压胸部两侧。

2. 手脚变化配合协调，同起同落。

3. 动作可配合呼吸，两掌上提时吸气，下落时呼气。

易犯错误

1. 两臂伸直摆动，动作僵硬。

2. 身体紧张，直立不稳，呼吸不畅。

纠正方法

1. 两臂上举时，力从肩发，先沉肩，再松肘，最后提腕，形成手臂举起的蠕动过程；下落时，先松肩，再沉肘，最后按掌合于腹前。

2. 两臂上举吸气，头部百会穴上领，提胸收腹；下落呼气，松腰松腹，气沉丹田。

功理与作用

1. 两臂的上下运动可改变胸腔容积，若配合呼吸运动可起到按摩心肺作用，增强血氧交换能力。

2. 拇指、食指的上翘紧绷，意在刺激手太阴肺经❶，加强肺经经气的流通，提高心肺功能。

3. 提膝独立，可提高人体平衡能力。

---

❶手太阴肺经：为人体十二经脉之一。起于中焦，体表部分循行于上肢内侧前缘，止于拇指和食指端。

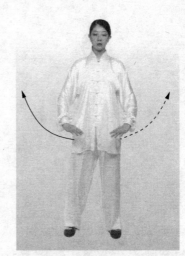

图 121　　　　　　　　　图 122

收势　引气归元

动作一：两掌经体侧上举至头顶上方，掌心向下（图 121）。

动作二：两掌指尖相对，沿体前缓慢下按至腹前；目视前方（图 122）。

重复一、二动两遍。

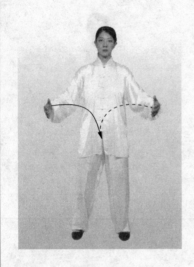 

图 123　　　　　　　　　　图 124

动作三：两手缓慢在体前划平弧，掌心相对，高与脐平；目视前方（图 123）。

动作四：两手在腹前合拢，虎口交叉，叠掌；眼微闭静养，调匀呼吸，意守丹田（图 124）。

图 125

图 126

动作五：数分钟后，两眼慢慢睁开，两手合掌，在胸前搓擦至热（图 125）。

动作六：掌贴面部，上、下擦摩，浴面 3~5 遍（图 126）。

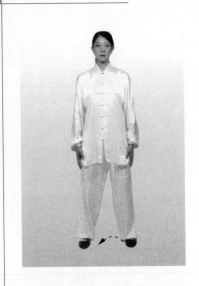

图 127　　　　　　　　　图 128

动作七：两掌向后沿头顶、耳后、胸前下落，自然垂于体侧；目视前方（图127）。

动作八：左脚提起向右脚并拢，前脚掌先着地，随之全脚踏实，恢复成预备势；目视前方（图128）。

动作要点

1. 两掌由上向下按时，身体各部位要随之放松，直达脚底涌泉穴❶。

2. 两掌腹前划平弧动作，衔接要自然、圆活，

❶涌泉穴：在足底第二、三蹠骨之间。简易取位法：足底人字纹顶端的凹陷处。

有向前收拢物体之势，意将气息合抱引入丹田。

易犯错误

1. 两掌上举带动两肩上抬，胸廓上提。

2. 两掌运行路线不清。

纠正方法

1. 身体重心相对固定，两掌上举时，注意肩部下沉放松。

2. 两掌在体侧向上做立圆和在腹前向前划平弧时，意念要放在掌心。

功理与作用

1. 引气归元就是使气息逐渐平和，意将练功时所得体内、外之气，导引归入丹田，起到和气血、通经脉、理脏腑的功效。

2. 通过搓手、浴面，恢复常态，收功。

参考文献

1. 胡耀贞等 . 五禽戏 . 人民体育出版社，1963

2. 五禽戏编写小组 . 五禽戏 . 人民体育出版社，
   1978

3. 梁士丰 . 自发"五禽戏"动功 . 广东人民出版
   社，1981

4. 焦国瑞 . 气功养生学概要 . 人民体育出版社，
   1984

5. 张柯、董文成整理 . 华佗五禽戏行功歌诀详解 .
   辽宁科学技术出版社，1986

6. 周稔丰、李自然 . 气功康复养生精要 . 天津科
   学技术出版社，1987

7. 张荣明 . 中国古代气功与先秦哲学 . 上海人民
   出版社，1987

8. 马济人 . 中国气功学 . 陕西科学技术出版社，
   1988

9. 王卜雄、周世雄 . 中国气功学术发展史 . 湖南
   科学技术出版社，1989

10. 阎海、马凤阁 . 中国传统健身术 . 人民体育出版社，1990

11. 虞定海、吴京梅 . 中国传统保健体育 . 上海科学技术出版社，1990

12. 施杞主编 . 中国养生全书 . 学林出版社，1990

13. 中国古代体育史 . 北京体育学院出版社，1990

14. 云笈七签 . 书目文献出版社，1992

15. 沈寿 . 导引养生图说 . 人民体育出版社，1992

16. 沈鹤年 . 中国医学气功学 . 安徽科学技术出版社，1994

17. 吴志超 . 导引养生史论稿 . 北京体育大学出版社，1996

18. 张君房纂辑、蒋力生等校注 . 云笈七签 . 华夏出版社，1996

19. 汤一介主编 . 道学精华 . 北京出版社，1996

20. 刘时荣 . 华佗五禽剑 . 人民体育出版社，1997

21. 郭林新气功研究会 . 郭林新气功 . 人民体育出版社，1999

22. 丁继华等 . 中国传统养生珍典 . 人民体育出版社，1999

23. 虞定海主编.中国传统保健体育与养生.上海科学技术出版社，2001

24. 吴志超.导引健身法解说.北京体育大学出版社，2002

附录 穴位示意图

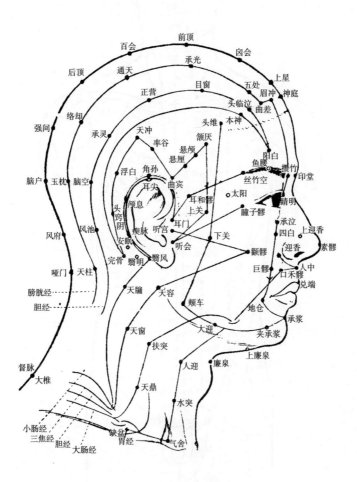

头面颈部穴示意图

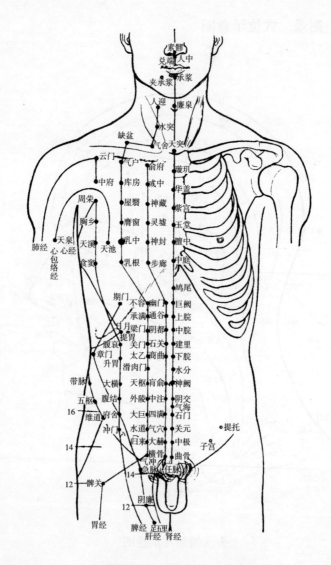

胸腹部穴（正面）示意图

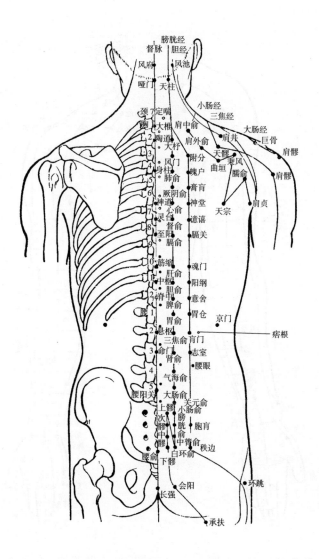

肩背腰骶部穴示意图

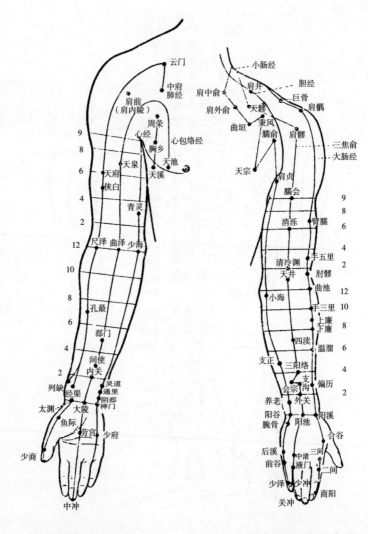

上肢掌侧面穴示意图　　　上肢背侧面穴示意图

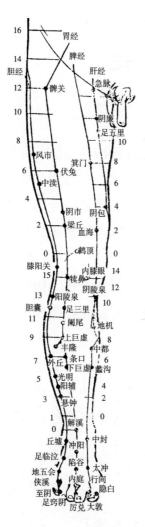

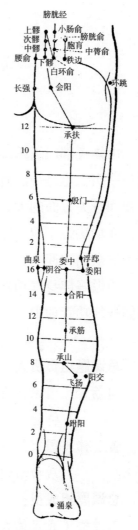

下肢前外侧面穴及
内侧面穴示意图

下肢后面穴示意图

后 记

由体育部门组织编创健身气功新功法，是历史上的第一次，也是一次有益的尝试。在各级领导的高度重视和有关方面的大力支持下，经过一年多的辛勤努力，新功法终于编创完成，并取得了初步成果，受到广大群众的欢迎。

为做好健身气功新功法的编创工作，国家体育总局健身气功管理中心专门成立了总课题组和专家评审组。

总课题组负责人：

周荔裳（国家体育总局健身气功管理中心

特约研究员、人民体育出版社编审）

黄　伟（国家体育总局健身气功管理中心

活动培训部主任）

总课题组成员：

石爱桥（武汉体育学院副教授）

邱丕相（上海体育学院教授）

蔡　俊（中国中医研究院西苑医院气功按摩科主任）

杨柏龙（北京体育大学副教授）

李兴东（国家体育总局健身气功管理中心副研究员）

王　毅（国家体育总局健身气功管理中心干部）

王春云（国家体育总局健身气功管理中心干部）

专家评审组组长：

冯理达（原海军总医院副院长、主任医师）

专家评审组副组长：

陶祖莱（中国科学院力学所研究员）

邱玉才（原国家体委群体司司长）

专家评审组成员（按姓氏笔画为序）：

王安利（北京体育大学运动医学教研室主任、教授）

王极盛（中国科学院心理研究所研究员）

吕光荣（云南中医学院副院长、教授）

刘天君（北京中医药大学教授）

刘俊骧（中国艺术研究院研究员）

汤慈美（中国科学院心理研究所研究员）

孙福立（中国中医研究院西苑医院研究员）

吴立民（中国佛教文化研究所所长、研究员）

邱丕相（上海体育学院教授）

邱宜钧（武汉体育学院教授）

宋天彬（北京中医药大学教授）

陈星桥（中国佛教协会《法音》杂志编辑）

胡孚琛（中国社会科学院哲学所研究员）

柳若松（西安体育学院教务处主任兼科研处处长）

顾平旦（中国艺术研究院研究员）

郭善儒（原天津理工学院副院长、教授）

总课题组和专家评审组成员来自多个学科，在不同领域里都具有较高的造诣和威望。更难能可贵的是，他们对健身气功事业抱有深厚的感情，对健身气功有着独到的见解。在编创工作中，他们始终热情高涨，积极参与，坦诚以待，为新功法的编创作出了不可磨灭的贡献。在此，向他们表示崇高的敬意和诚挚的感谢。

上海体育学院承担了编创"健身气功·五禽戏"的任务。课题组负责人为邱丕相、虞定海。参与功法动作编创的人员有：邱丕相、虞定海、曾美英、王震、张云崖、吴京梅、陈新富、刘静、范燕美等；参与学术研究的人员有：张素珍、陈文鹤、吴家舵、崔永胜等。课题试验得到了上海市体育局和杨浦区体育局、静安区体育局，江苏省体育局和无锡市体育局以及有关街道社区的大力支持和积极配合。在此，向他们表示衷心的感谢。

　　由于时间仓促，条件所限，本书还有一些不尽如
人意之处，欢迎大家批评指正，以便进一步修改完
善，使其更好地为群众强身健体服务。

　　　　　　　　　　　　编　者

　　　　　　　　　　2003 年 3 月